A Marilyn y a los gatos de la librería,
y también
a todos los amores gatunos de mi vida,
y a los que aún no conocí.

Gracias a Teague Stubbington, de la Zoological Society of London,
por revisar con precisión los datos de los animales.

Título original: *I am Cat*

I am Cat copyright © Frances Lincoln Limited 2012
Frances Lincoln Children's Books, 4 Torriano Mews,
Torriano Avenue, London NW5 2RZ
www.franceslincoln.com
© del texto y las ilustraciones: Jackie Morris, 2012

© de esta edición: Lata de Sal Editorial, 2014

www.latadesal.com
info@latadesal.com

© de la traducción: Mariola Cortés Cros
© del diseño de la colección y la maquetación: Aresográfico

ISBN: 978-84-942451-4-5
Depósito legal: M-18225-2014
Impresión: C & C Offset Printing Co., Ltd., China

En las páginas interiores se ha usado papel de 140 g
y se ha encuadernado en cartoné plastificado mate,
en papel de 128 g sobre cartón de 2,5 mm.
El texto se ha escrito en Eames Century Modern y Yana.
Sus dimensiones son 22 × 30 cm.
Jackie Morris usó acuarelas de calidad artística Winsor & Newton
sobre papel de acuarela Arches.

Y Chasis y Logan son los reyes de nuestra selva.
Y pueden convertir una habitación en una leonera.

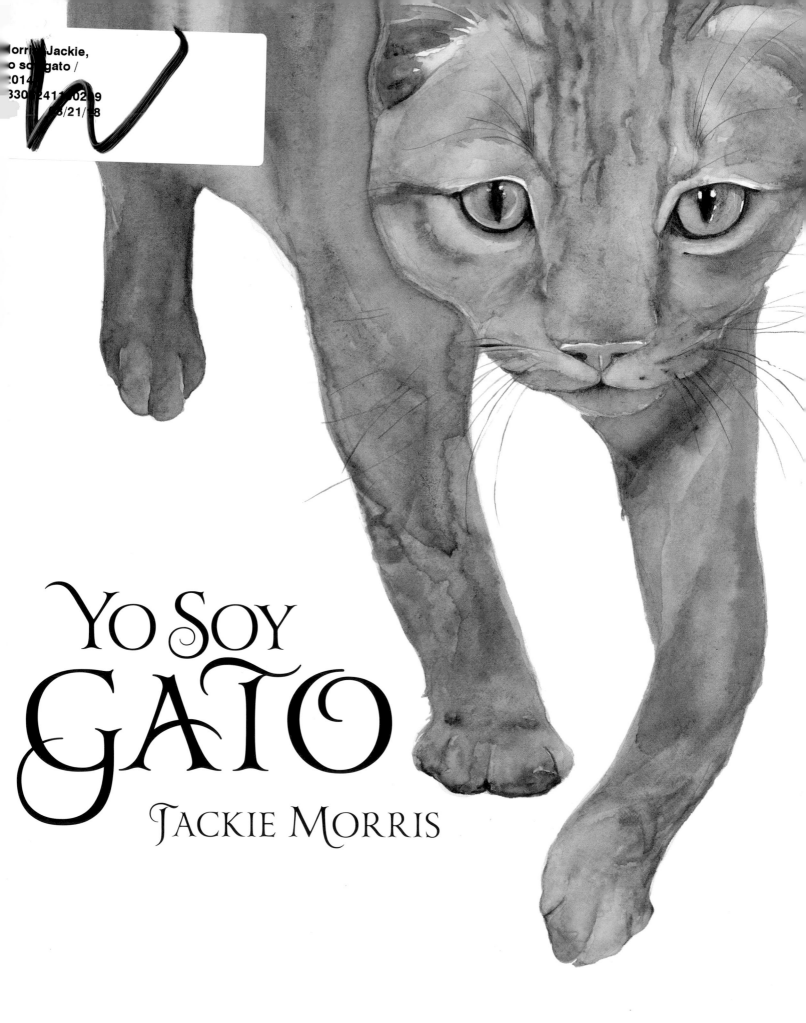

Yo Soy Gato

Jackie Morris

LATA de SAL

Gatos

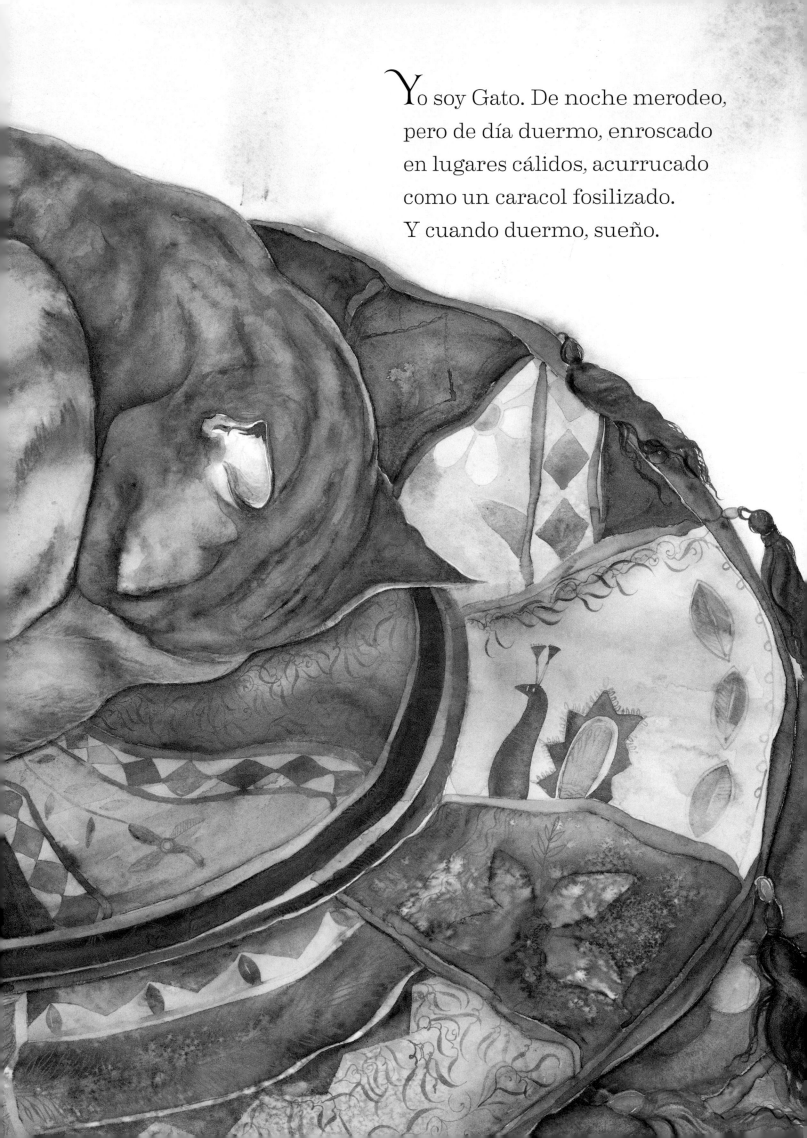

Yo soy Gato. De noche merodeo,
pero de día duermo, enroscado
en lugares cálidos, acurrucado
como un caracol fosilizado.
Y cuando duermo, sueño.

Sueño que rondo
por el interior de la jungla,
resplandeciente gato de la selva,
rayado como las sombras,
abrasado por el sol.

Sueño que soy el gato de vista infalible,
que corre veloz como el viento sobre las pálidas llanuras de África,
brillante, moteado y elegante.

Sueño que camino
a través de bosques perfumados de resina,
con las orejas erguidas
por el ulular de las lechuzas,
la nariz afilada buscando
el olor de las liebres,
como un fantasma en el crepúsculo.

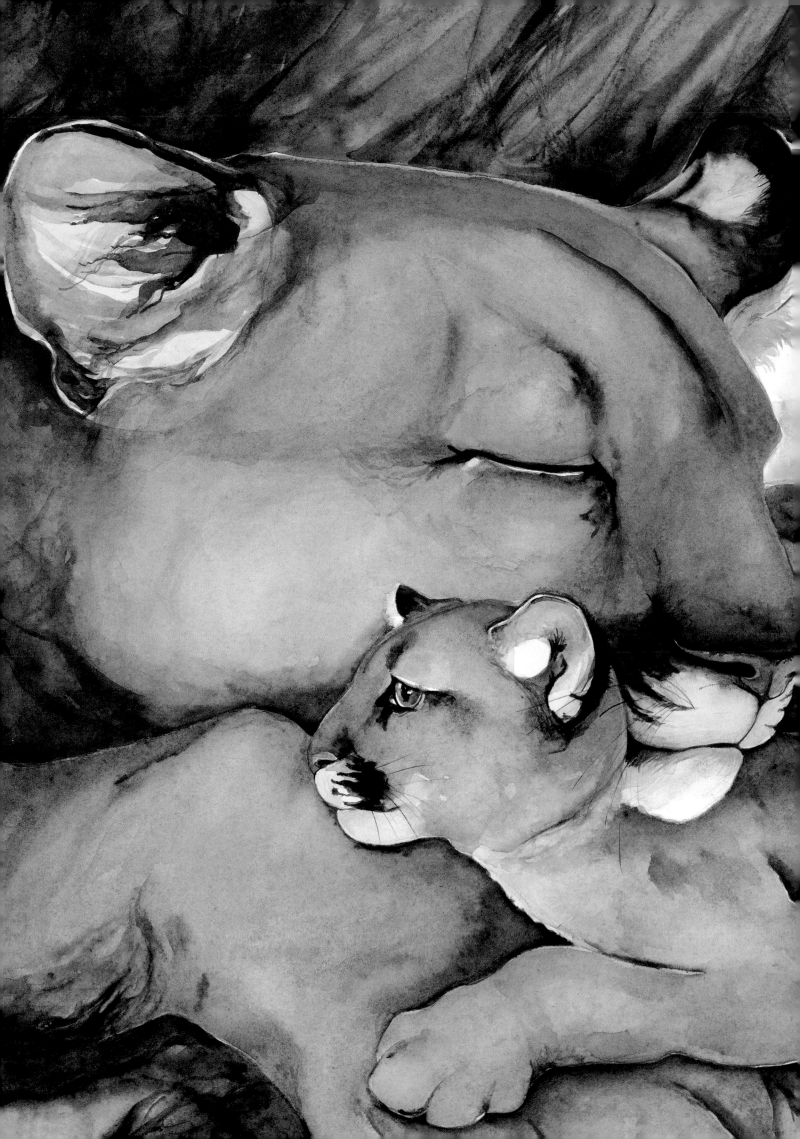

Sueño con una cueva,
los cachorros junto a mí en la oscuridad,
manadas de caballos salvajes
y la necesidad de cazar.

Sueño que camino por la cima del mundo,
cubierto con un manto de piel gruesa moteada,
observando, esperando. Rodeado de misterio,
del color de la nieve que hay bajo mis enormes patas,
señor de las grandes montañas.

Sueño que nado en las cálidas aguas del río.
Los guacamayos escarlatas vuelan sobre mi cabeza.
A mi lado, mi hermano, oscuro espíritu del bosque,
negra piel como la medianoche. Magnífico.

Sueño que me tumbo al calor del día,
bajo la sombra del árbol de inmensa copa,
la pesada melena enredada al sol,
dorada, como la sabana.
A mi alrededor, mi manada duerme
mientras los cachorros, inquietos, juegan como gatitos.

Sueño que soy el gato salvaje y
misterioso de las montañas y los
bosques de Escocia.
Rayado como el tigre, solitario y fiero,
antiguo, casi un recuerdo.

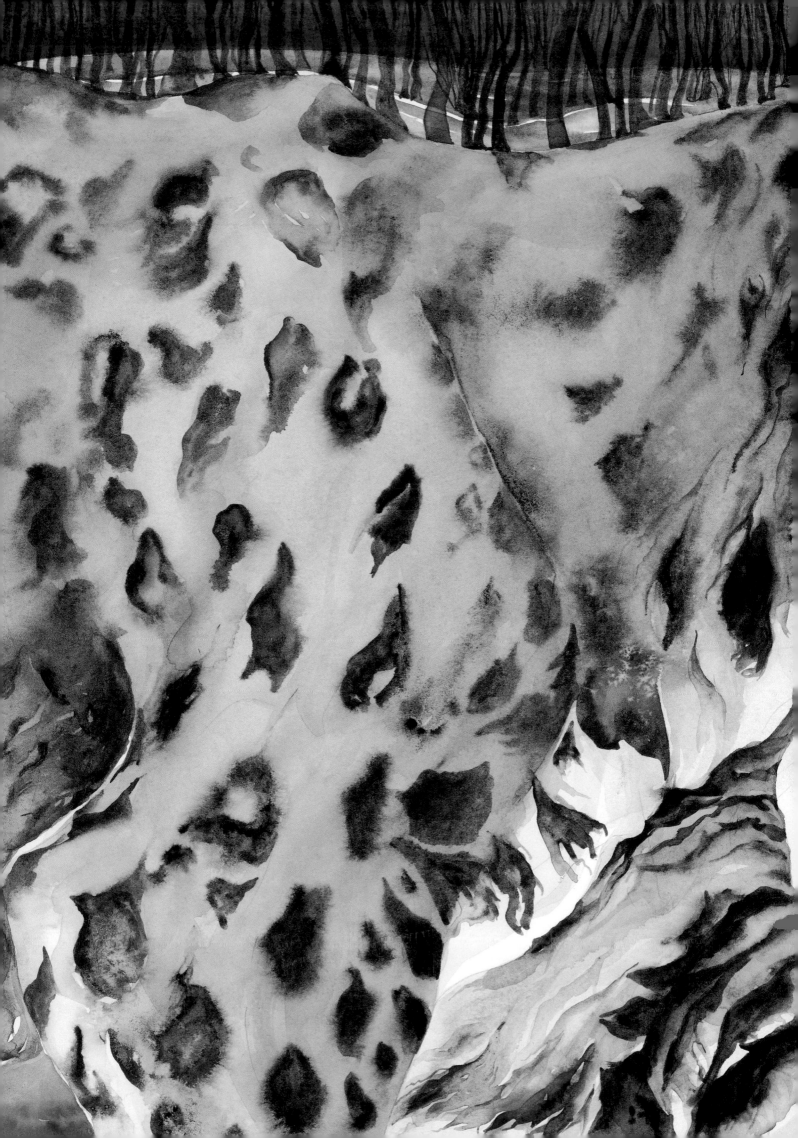

Sueño que atravieso los bosques de Rusia,
con la nieve bajo mis patas.
Majestuoso, con un pelaje denso
del color de las hojas en otoño.
Casi el último de mi especie.

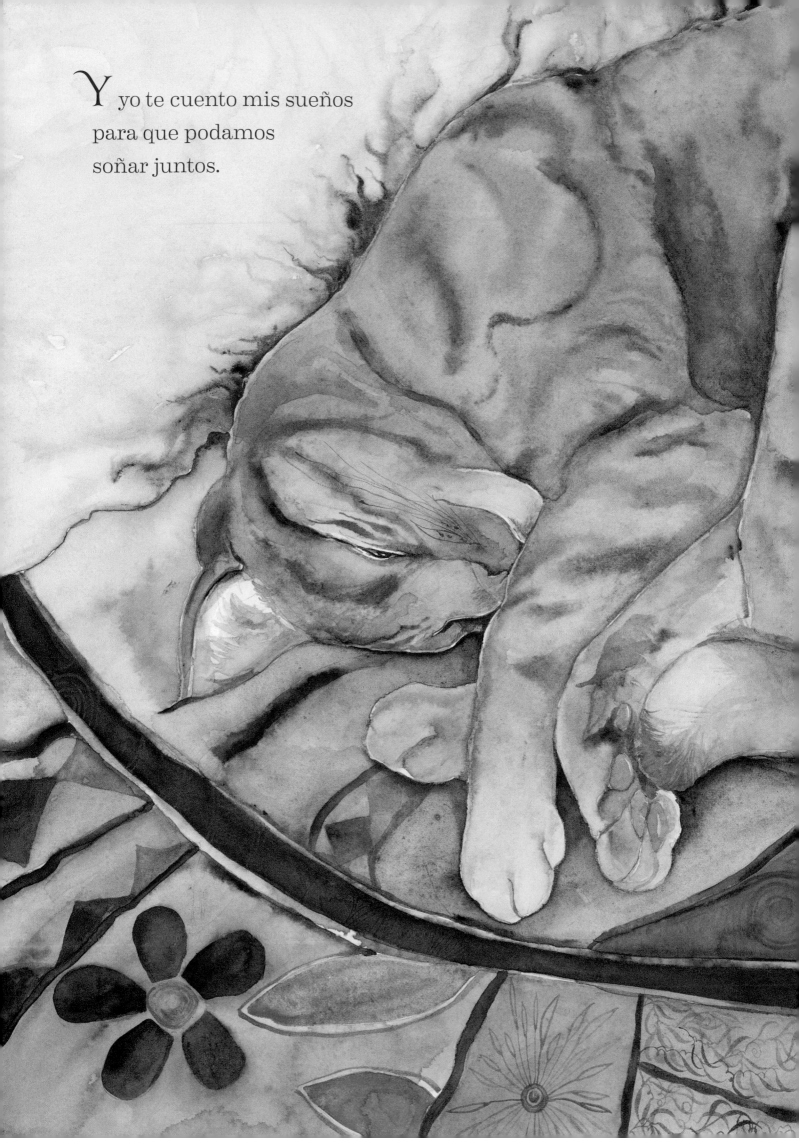

Y yo te cuento mis sueños
para que podamos
soñar juntos.

Gato doméstico

Se cree que el gato doméstico desciende de un pequeño gato salvaje de África. Los gatos han vivido con los humanos durante miles de años. En China, eran usados para proteger los capullos de los gusanos de seda contra los roedores. Los gatos maúllan para comunicarse con los humanos y tienen su lenguaje propio, que incluye sonidos y diferentes formas de marcar su territorio, como arañazos y olores. En el antiguo Egipto los gatos eran sagrados. La pena por matar un gato era la muerte. En la India, la diosa Sasti, representada por una gata, estaba considerada como la protectora de los niños.

Tigre siberiano

Los tigres son los felinos de mayor tamaño y el siberiano es el más grande de todos los tigres con un peso de hasta 320 kilos. Se estima que solo quedan 200 tigres siberianos en libertad, menos de los que hay en cautividad. Su pelaje rayado les sirve para camuflarse. Viven en los bosques de Asia central, donde cazan de noche. Los cachorros del tigre permanecen junto a la madre más de dos años.

Guepardo

Es el animal terrestre más rápido. Puede alcanzar velocidades máximas de 115 kilómetros por hora. Elegantes, ligeros y con largas patas. Es el único felino que no tiene garras retráctiles. Los guepardos viven en África. Tienen a sus crías en las praderas y las cambian de lugar cada dos o tres días. En cada camada nacen entre uno y ocho cachorros. Las hembras son solitarias, pero los machos viven en pequeños grupos que permanecen unidos durante toda la vida. El nombre en inglés del guepardo, *cheetah*, viene de la palabra hindú *chita* que significa *el que tiene manchas*. En Asia, los guepardos eran usados por los hombres para la caza de antílopes, escenas representadas a menudo en hermosas miniaturas.

Lince

Los linces viven en Eurasia y América, aunque los euroasiáticos son casi dos veces más grandes. Son solitarios y cazadores sigilosos. Se alimentan principalmente de liebres y conejos, pero también de pequeños venados, pájaros y ratones. Los linces son fácilmente reconocibles por sus orejas puntiagudas coronadas por largos penachos de pelo negro.

Puma

Ha recibido muchos nombres. *Puma* es el término que le dieron los incas hace mucho tiempo en Suramérica. Los pumas se extienden desde la parte más meridional del continente americano hasta Canadá. De gran envergadura, son solitarios y viven en zonas pedregosas y de frondosos arbustos. Cazan solos y entre sus presas se incluyen liebres, venados, puercoespines, comadrejas o jabalíes.

Leopardo de las nieves

El leopardo de las nieves tiene un pelaje denso, una cola muy larga que le sirve para mantener el equilibrio y protegerse del frío, y unas enormes patas acolchadas para correr sobre la nieve. Posee un cuerpo robusto para trepar y cazar en su hábitat: las escarpadas montañas del centro y sur de Asia. Sus cachorros nacen con una raya oscura que se separa en manchas a medida que van creciendo. Su pelaje actúa como camuflaje en las montañas. Fiero y esquivo, a su alrededor se han creado muchas leyendas. Su alimento principal es el baral (o cabra azul del Himalaya). Caza cada 10-15 días y si protege su presa le puede durar varias jornadas.

Jaguar

El jaguar es un felino de carácter solitario que vive en el centro y sur de América. Se alimentan de serpientes, lagartos, caimanes, peces, tortugas, carpinchos, monos, ciervos, pájaros y osos hormigueros. Es un animal muy importante en la mitología sudamericana. Los mayas creían que los jaguares guiaban el sol alrededor de la Tierra, hasta que volvía a salir al día siguiente. Los jaguares pueden ser moteados, con manchas en forma de rosetas, y también negros. Pero incluso en los jaguares negros se pueden distinguir las características rosetas sobre su pelaje.

León

Los leones viven en manadas de hasta 40 individuos. Las leonas, a pesar de ser más pequeñas que los machos, son las que se dedican a cazar y proteger el territorio. Cuando salen a cazar, en manada, solo en uno de cada cinco intentos consiguen atrapar su presa. Los machos usan su envergadura para llegar tras la caza y ser los primeros en comer. Los leones viven en las llanuras y praderas de África. En el pasado su hábitat se extendía por Asia, pero en la actualidad solo hay unos 400 leones en los bosques de Gir, en Gujarat (India).

Gato montés escocés

Es un auténtico gato salvaje, no un gato doméstico que se ha asilvestrado al vivir en libertad. Solo quedan unas 150 parejas en las zonas más remotas de las montañas de Escocia. Esta especie tiene el pelaje similar al de un gato atrigrado, pero puede ser hasta un 50 por ciento más grande que el gato doméstico. Tiene una cola corta, de pelo denso y rayado. Se come absolutamente todo de sus presas, hasta incluso triturar los huesos. Caza peces en riachuelos poco profundos, usando sus garras para enganchar truchas y salmones. Su principal amenaza es el hombre.

Leopardo Amur

Hay nueve tipos distintos de leopardo y el Amur es el menos común. Entre los grandes felinos es el que se encuentra en mayor peligro de extinción, con menos de 30 ejemplares viviendo en libertad, la mayoría en los bosques templados de Rusia. Su pelaje varía entre el gris, el marrón y el negro. Son felinos solitarios. Las grandes amenazas de los leopardos son la pérdida de sus hábitats naturales y la caza furtiva. Se les caza por sus pieles y sus huesos, que se usan en la medicina oriental. Los furtivos también cazan las presas de las que se alimentan.

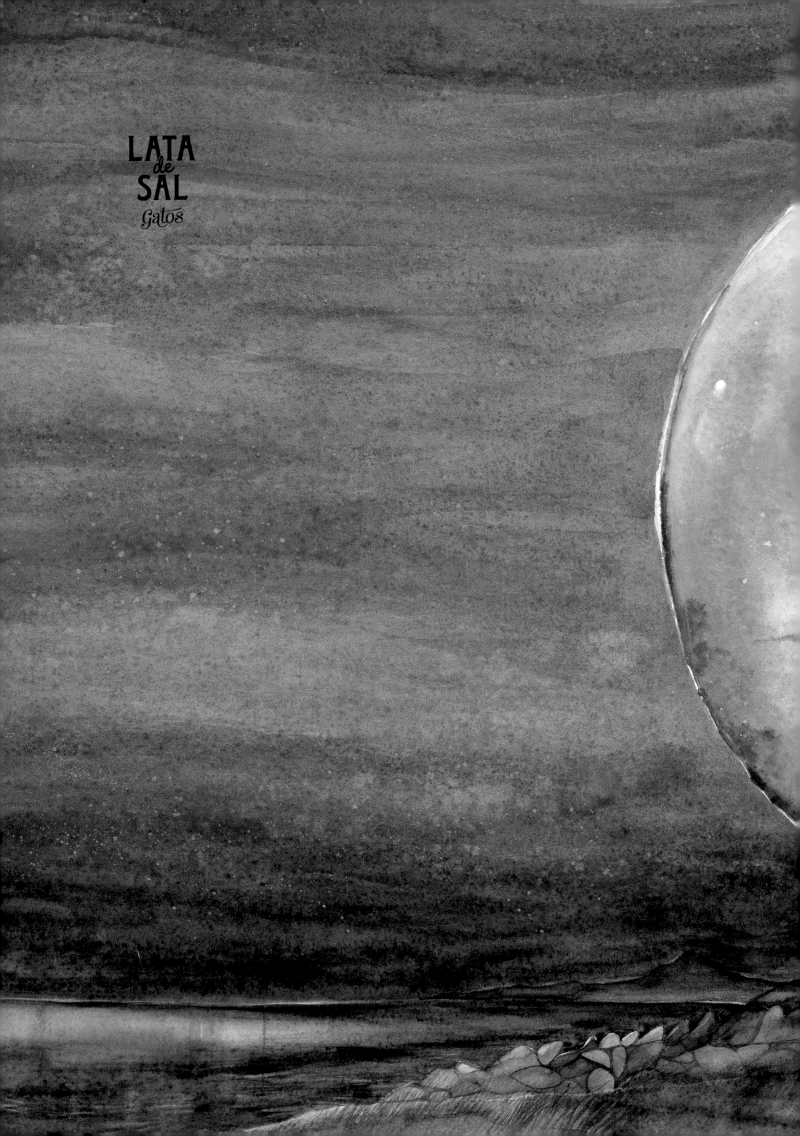